Gilbert **Delahaye** ◆ Marcel **Marlier**

martine

à l'école

casterman

Martine

Joyeuse et curieuse, Martine adore s'amuser avec ses amis et son petit chien Patapouf. Ensemble, ils découvrent le monde et vivent de véritables aventures. Une chose est sûre : avec Martine, on ne s'ennuie jamais !

Marianne

Marianne est la maîtresse de Martine. Elle est très gentille et aime faire découvrir de nouvelles choses à ses élèves.

Naina

Naina est nouvelle à l'école. Grâce à Martine, elle ne tarde pas à se faire des amis et à s'amuser, comme tous les autres élèves !

Patapouf

Ce petit chien est un vrai clown ! Il fait parfois des bêtises… mais il est si mignon que Martine lui pardonne toujours !

Aujourd'hui, c'est lundi et Clara est venue à l'école avec un panier.

– Qu'est-ce qu'il y a dedans ? demande Martine.

– Une souris blanche que j'ai gagnée à la foire.

– Une vraie ?

Clara n'a pas le temps de répondre : il faut entrer en classe.

– Je vais cacher ma souris au-dessus de l'armoire, décide Clara.

– Ne l'oublie pas en partant ce soir, recommande Julie. Pas sûre qu'elle aimerait passer la nuit toute seule ici…

Pendant ce temps, Martine s'approche d'une nouvelle élève.

– Salut, comment tu t'appelles ?

– Naina ! C'est mon premier jour dans cette école, je suis un peu perdue…

– Viens ! Je vais te présenter tout le monde.

– Voici Naina! annonce Martine
en entrant dans la classe.
– Bonjour, Naina! font les élèves
en chœur.
– Naina est indienne, explique Marianne,
la maîtresse. Qui sait où se trouve l'Inde?
Martine s'avance vers le globe terrestre
et le fait tourner sous son doigt.

– C'est juste ici, dit-elle, sous la Chine et le Pakistan.

– Et la capitale s'appelle New Delhi ! ajoute Naina.

– C'est drôlement loin ! font les élèves, impressionnés.

– Demain, si vous voulez, propose Naina, je ramènerai un sari.

C'est un vêtement traditionnel. Celui de ma maman est orange et doré.

Les enfants sont très enthousiastes.

Naina leur apprend plein de choses !

Martine explique l'emploi du temps à Naina :

– Tous les lundis, Marianne nous emmène à la bibliothèque.

Elle nous laisse choisir les livres qu'on veut : des albums, des romans,

des magazines... On peut les lire silencieusement ici. Mais, le mieux,

c'est qu'on peut les emprunter et les rapporter à la maison.

Moi, j'en profite pour chercher des histoires à raconter

à mes petits frères !

Justement, Martine retrouve
Jean dans la cour de récréation.
– J'ai mal à la tête… gémit-il.
– Tu n'as pas de fièvre.
Veux-tu que je t'accompagne
à l'infirmerie?
– Pas le temps! Les copains
commencent une partie de foot.
Allez, viens jouer! Je parie que je te bats quand je veux!

De retour en classe, Marianne explique aux enfants leur prochaine activité :

– Nous allons faire un atelier d'écriture. Par groupes de cinq, vous inventerez une poésie.

– Je sais ! s'écrie Martine. Si on écrivait un poème sur l'école ?

Tout le monde est d'accord. Martine écrit pendant que les autres
proposent leurs idées.

– *Quand je vais à l'école…* commence Antoine.

– *… Je suis bien reveillé,* continue Léon.

– *… Je n'oublie pas ma colle…* ajoute Naina.

– *… Ma trousse et mon cahier !* termine Martine.

– Bon début ! félicite Gabriel. Encore des rimes !

Après l'atelier d'écriture, les enfants
n'ont qu'une envie : bouger !
Ça tombe bien, c'est l'heure
du sport.
En cours de basket, Martine marque
deux paniers, puis, en gymnastique,
elle fait une roulade parfaite.
«Pauvre Gabriel… pense-t-elle. Il doit rester sur le côté parce qu'il
s'est tordu le poignet…»

Après une telle matinée, les élèves meurent de faim !

Ils filent à la cantine.

Au menu, ce midi : soupe à la tomate puis viande, légumes et purée.

Miam ! On entend des rires et des bruits de fourchette dans tout
le réfectoire.

– Je vais t'aider à couper ton steak, propose Martine à Gabriel.

– Merci, Martine ! Sans toi, j'en aurais mis partout...

Naina s'est assise à la table de Martine : elle est ravie car elle s'est fait
plein de nouveaux copains.

Cet après-midi, les enfants vont faire une exposition de peinture.

– Nous allons illustrer la chanson des escargots, propose Marianne.

Qui veut la chanter ?

– Moi ! dit Martine.

Elle mime les paroles en faisant de grands gestes :

Petit escargot

Porte sur son dos

Sa maisonnette.

Aussitôt qu'il pleut,

Il est tout heureux

Il sort sa tête...

– Bravo, Martine ! dit Marianne.
Maintenant, à vos pinceaux !
Les élèves des petites classes
comme les grands sont réunis
pour ce cours de dessin.
Pour éviter les taches, ils doivent porter
un tablier. Certains enfilent une vieille chemise,
d'autres prennent de vieux sacs en plastique
et y découpent des trous pour la tête et les bras.
Les plus rapides ont déjà commencé à peindre !

Les grands aident les petits.

– Si tu peignais l'herbe en vert? propose Martine à Chloé.

La fillette fait glisser son pinceau sur la feuille.

– Magnifique! l'encourage Martine. Tu es très douée!

– Et comment vas-tu appeler ton escargot? demande Manon.

– Mmmh… Cléo! annonce fièrement Chloé.

Tous les enfants rigolent.

Quand les dessins sont finis, on les accroche aux murs de la classe.

– Comme ça, tout le monde peut admirer nos œuvres pendant que la gouache sèche, dit Martine.

Après l'atelier peinture, les élèves font des découpages et des collages.

– Encore des escargots, dit Marianne, pour décorer le reste de la salle de classe…

Pour la récréation, toute la classe va à la rivière.

– Nous allons pêcher des têtards, annonce Marianne,

nous les mettrons dans l'aquarium de l'école.

– Et des grenouilles ? demande Martine.

– Impossible. Les grenouilles sauvages ne sont pas faites pour vivre

en captivité. Elles seraient malheureuses et ne survivraient pas.

De retour à l'école, les enfants observent
les têtards dans l'aquarium.
– Ils sont drôles ! commente Naina.
Ils passent leur temps à zigzaguer
et à frétiller…
– Bientôt, leurs pattes se développeront
et leur queue raccourcira, dit Martine. Ils se transformeront
en grenouilles. Alors, on les relâchera dans la rivière !
– Mais en attendant, dit la maîtresse, chacun de vous devra
penser à nettoyer l'aquarium et à renouveler l'eau. D'accord ?

Dring ! La sonnerie retentit : il est quatre heures et demie !

Les parents attendent dehors.

– Alors, Naina, comment s'est passée cette première journée ?

demande sa maman.

– Très bien ! Et regarde, je me suis fait une copine :

elle s'appelle Martine !

Naina présente sa maman et ses frères et sœurs, puis embrasse
son amie.

– Salut, Martine ! À demain pour apprendre plein de nouvelles
choses… et pour s'amuser ensemble, bien sûr !

La fillette lui fait signe de la main en songeant : «Ce matin,
Naina était une nouvelle élève, maintenant c'est une nouvelle amie !»

Retrouve **martine** dans d'autres aventures !

martine à la ferme

martine en voyage

martine à la mer

martine au cirque

martine vive la rentrée !

martine à la fête foraine

martine fait du théâtre

martine à la montagne

martine fait du camping

martine en bateau

martine et les quatre saisons

martine à la maison

martine au zoo

martine fait les courses

martine monte à cheval

martine au parc

martine
garde son petit frère

martine
fête son anniversaire

martine
jardine

martine
fait du vélo

martine
petit rat de l'opéra

martine
à la fête des fleurs

martine
fait la cuisine

martine
apprend à nager

martine
est malade

martine
en vacances

martine
prend le train

martine
fait de la voile

martine
fête maman

martine
à l'école

martine
découvre la musique

martine
a perdu son chien

martine *dans la forêt*

martine *et le cadeau d'anniversaire*

martine *un mercredi pas comme les autres*

martine *la nuit de Noël*

martine *se déguise*

martine *et les lapins du jardin*

martine *baby-sitter*

martine *au pays des contes*

martine *et les marmitons*

martine *prépare une surprise*

martine *l'arche des animaux*

martine *princesses et chevaliers*

martine *et les fantômes*

martine *un amour de poney*

martine *la dispute*

martine *drôle de chien !*

Casterman
Cantersteen 47
1000 Bruxelles

www.casterman.com

ISBN : 978-2-203-10693-2
N° d'édition : L.10EJCN000505.C003

© Casterman, 2016
D'après les albums de Gilbert Delahaye et Marcel Marlier.
Achevé d'imprimer en août 2018, par L.E.G.O.
(2 viale dell'Industria, 36100 Vicenza, Italie).
Dépôt légal : juin 2016 ; D.2016/0053/151
Déposé au ministère de la Justice, Paris (loi n°49.956
du 16 juillet 1949 sur les publications destinées à la jeunesse).